D1011734

La fête d'école ♡

Lis d'autres
livres de la
collection
HIBOU HEBDO!

HIBOU HEBDO

♡ La fête d'école ♡

Rebecca Elliott

Texte français d'Isabelle Montagnier

Éditions
SCHOLASTIC

Pour Clementine, mon petit oiseau de nuit
aux yeux grand ouverts. - R.E.

Remerciements spéciaux à Eva Montgomery.

Catalogage avant publication de Bibliothèque et Archives Canada

Elliott, Rebecca
[Eva's treetop festival. Français]
La fête d'école / Rebecca Elliott, auteure et illustratrice;
texte français d'Isabelle Montagnier.

(Hibou hebdo ; 1)
Traduction de : Eva's treetop festival.
ISBN 978-1-4431-5339-3 (couverture souple)

I. Titre. II. Titre: Eva's treetop festival. Français

PZ23.E447Fe 2016   j823'.92   C2015-908638-8

Copyright © Rebecca Elliott, 2015, pour le texte et les illustrations.
Copyright © Éditions Scholastic, 2016, pour le texte français.
Tous droits réservés.

Il est interdit de reproduire, d'enregistrer ou de diffuser, en tout ou en partie,
le présent ouvrage par quelque procédé que ce soit, électronique, mécanique,
photographique, sonore, magnétique ou autre, sans avoir obtenu au préalable
l'autorisation écrite de l'éditeur. Pour toute information concernant les droits,
s'adresser à Scholastic Inc., 557 Broadway, New York, NY 10012, É.-U.

Édition publiée par les Éditions Scholastic, 604, rue King Ouest,
Toronto (Ontario) M5V 1E1.

6 5 4 3 2   Imprimé en Malaisie 108   17 18 19 20 21

Conception graphique du livre : Marissa Asuncion

♥ Table des matières ♥

1

♡ Je m'appelle Ève ♡

Mardi

Salut, journal!

Je m'appelle Ève Petit-Duc. J'habite dans la maisonnette n° 11 de l'avenue du Cerisier à Arbreville.

J'AIME :

TOI : mon nouveau
journal!

Dessiner

Les couleurs (surtout le rouge)

L'artisanat

2

Le mot <u>citrouille</u>

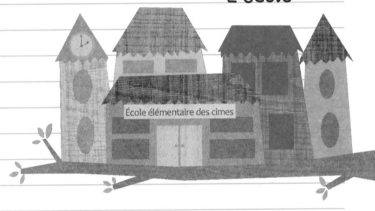

Les vêtements branchés

L'école

École élémentaire des cimes

Être occupée

3

<u>JE N'AIME PAS</u> :

Les chaussettes puantes
de mon frère Hervé

Mimi Deserre (elle est
VRAIMENT méchante!)

Me brosser le bec

Le mot <u>ploc</u>

4

Demander de l'aide

Les écureuils

Les sandwichs à la limace de maman

M'ennuyer

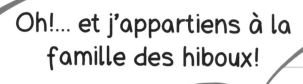

Nous sommes très cool. Nous restons éveillés la nuit...

et nous dormons le jour.

Notre tête peut pivoter presque complètement.

Et nous volons!

Voici ma famille :

Moi

Papa

famille Petit-Duc

Bébé Mo

Hervé

Maman

Et voici mon animal de compagnie, Charlie!

Il est si mignon!

Ma MEILLEURE amie dans tout
L'UNIVERS des hiboux est Lucie Beck.

Lucie habite dans l'arbre voisin. Nous
dormons souvent l'une chez l'autre!

Lucie est assise à côté de moi à l'école. Voici une photo de notre classe :

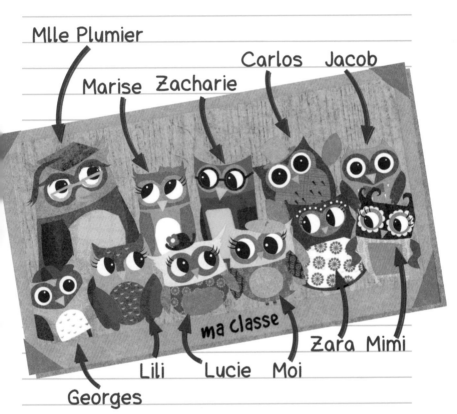

Mlle Plumier

Marise   Zacharie   Carlos   Jacob

ma classe

Georges   Lili   Lucie   Moi   Zara   Mimi

Oh non! Je suis en retard pour l'école! À demain, journal.

♡ RIEN à faire! ♡

Mercredi

En rentrant de l'école aujourd'hui, j'ai fait les mêmes choses que d'habitude.

J'ai promené Charlie.

J'ai mangé une collation.

J'ai fait mes devoirs avec ma **PLUS BELLE PLUME.**

J'ai fait de l'artisanat.

J'ai fabriqué ce joli bracelet en perles.

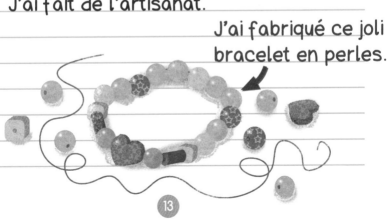

J'ai essayé de nouvelles tenues.

Je me suis disputée avec Hervé.
Il avait ENCORE laissé ses chaussettes
puantes dans ma chambre! Il a vraiment
une cervelle d'écureuil!

Mais après avoir fait tout ça, il restait
encore DES HEURES avant le lever du
soleil. Et je n'avais plus <u>rien</u> à faire!

Lucie vient de me donner une idée **MA-NID-FIQUEMENT GÉNIALE!** Je vais aller faire un peu de remue-méninges. À plus tard!

Bon, voilà. J'ai bien réfléchi et j'ai maintenant un PLAN <u>sensationnel!</u> Mais je n'ai pas le temps de t'en parler parce que je dois aller me coucher. J'ai hâte d'en parler à Lucie (et à TOI) demain!

♡ Mlle Plumier ♡

Salut, journal!
    J'ai annoncé mon plan à Lucie ce soir, sur le chemin de l'école.

Je vais organiser le tout premier
FESTIVAL DES FLEURS
à l'École élémentaire des cimes!

Ce sera ma-nid-fique! Il y aura toutes sortes de concours amusants : un concours de talents, un concours de pâtisserie et une exposition d'art. Et je fabriquerai moi-même les prix!

Tout cela a beaucoup plu à Lucie.

C'est une idée épou-oustouflante, Ève. Quand vas-tu en parler à Mlle Plumier?

Ce soir. Mais je crains qu'elle n'aime pas mon idée.

Oh, Ève! Elle va l'ADORER! C'est beaucoup de travail, mais c'est une excellente idée!

Je suis allée voir Mlle Plumier, notre enseignante, dès mon arrivée en classe.

Nous célébrons toujours les fêtes en classe, alors je me disais... euh, comme c'est le printemps aujourd'hui, on pourrait faire une fête de printemps. Et j'aimerais bien l'organiser, si vous êtes d'accord.

Mlle Plumier n'a rien dit, alors j'ai continué mon explication. Je lui ai parlé des concours et des prix.

On pourrait appeler cette fête le « Festival des fleurs » parce que, euh... les arbres fleurissent au printemps! Et les fleurs seront au CŒUR de cette fête!

Mlle Plumier a enfin souri.

C'est une idée fabuleuse, Ève! Très très chouette! Oui, tu peux l'organiser. Mais ne prends pas tout sur tes épaules. Distribue les tâches!

Le festival pourra avoir lieu jeudi prochain. Et nous remettrons les récompenses le lendemain.

Oh là là, cher journal! Il ne reste qu'une semaine! Comment vais-je arriver à tout faire d'ici là?

Mais je suis TELLEMENT contente que Mlle Plumier aime mon idée!

J'ai tout raconté à Lucie avant le début de la classe.

Lucie! Mlle Plumier a adoré mon idée!

C'est formidable, Ève!

Mais il ne reste que <u>sept</u> jours avant la fête! Par où dois-je commencer?

Fais une liste de choses à faire. Ça t'aidera beaucoup.

Lucie est ma meilleure amie POUR LA VIE. Elle sait toujours ce qu'il faut faire.

Dès que je suis rentrée à la maison, j'ai dressé ma liste :

1. Peindre le décor pour le concours de talents

2. Mettre en place les tables pour le concours de pâtisserie

3. Accrocher les tableaux pour l'exposition d'art

4. Construire la passerelle pour le défilé de mode

5. Fabriquer les prix

Cette liste est très longue! Je peux te dire une chose, cher journal : je ne vais plus m'ennuyer! YOUPI! Maintenant, je vais aller me coucher. Bonne journée!

4

♡ Mimi la méchante ♡

Vendredi

Cette nuit ne s'est PAS très bien passée.

Tout d'abord, Mlle Plumier a parlé de la fête du printemps aux élèves de la classe.

Le Festival des fleurs aura lieu jeudi prochain! Vous pourrez participer à quatre concours. C'est moi qui distribuerai les prix vendredi.

Puis elle m'a demandé de venir à l'avant. J'étais nerveuse en volant jusqu'à elle.

J'ai dit à tout le monde que le thème du festival était les fleurs. Puis j'ai expliqué comment s'inscrire aux concours.

Tout se déroulait bien.

Super!

Bonne idée, Ève!

MAIS ALORS, Mimi Deserre a dit quelque chose de vraiment méchant.

Mes ailes tremblaient. Tout le monde me regardait et je n'aimais pas ça.

Je suis... euh... l'organisatrice de la fête, parce que, euh... c'était mon idée. Et je veux que tout le monde s'amuse. Je ne veux pas que les préparatifs vous accaparent.

Eh bien, c'est moi qui devrais être chargée du défilé de mode. Ma mère est dessinatrice de mode!

Je m'en occupe, Mimi. Mais merci quand même.

Je suis retournée m'asseoir à ma place.

Mimi se mêle toujours de ce qui ne la regarde pas. Et elle est toujours SI méchante. On <u>devrait</u> l'appeler Mimi la méchante.

Une fois, Mimi a dit que les sandwichs de maman sentaient mauvais. (C'était vrai, mais elle n'aurait pas dû le dire.)

C'est alors que Mlle Plumier s'est levée.

Les enfants, calmez-vous, s'il vous plaît. Je suis sûre qu'Ève vous demandera de l'aide. Et j'aimerais que <u>tout le monde</u> prenne exemple sur Mimi et se montre serviable! Merci.

Quand j'aurai fini d'organiser cette belle fête, j'espère que Mlle Plumier aura quelque chose de gentil à dire à mon sujet aussi.

Attends un peu! Je ne t'ai pas tout dit, cher journal. Les choses ont empiré après ça! Mimi est venue me voir à l'heure du repas.

Bonne chance pour la construction de la passerelle du défilé de mode, Ève! Tu en auras besoin!

Grrr! Mimi est <u>tellement</u> méchante!

J'ai essayé de ne pas repenser aux paroles de Mimi avant d'aller me coucher. Je suis sûre que je peux construire une passerelle. N'est-ce pas, journal?

Maintenant, je m'inquiète de tout le travail à faire pour la fête. La fin de semaine va être très occupée.

Dors bien, journal!

5

♥ Ève est occupée ♥

Samedi

Aujourd'hui, j'ai commencé à peindre les décors.

Lucie est venue me tenir compagnie et travailler sur ce qu'elle allait présenter aux concours. Comme c'est moi l'organisatrice, je ne peux pas y participer. Alors je l'ai aidée!

Je lui ai donné ma meilleure recette de petits gâteaux pour le concours de pâtisserie.

Délicieux petits gâteaux d'Ève

1 tasse de graines pour oiseaux
1 tasse de farine
1 tasse de glands
2 limaces

- Bien mélanger le tout.
- Faire cuire pendant 20 minutes.
- Laisser refroidir.
- Recouvrir d'une tonne de glaçage.
- Déguster!

J'ai promis de l'aider à les faire mercredi après l'école. Comme ça, ses petits gâteaux seront super frais pour le concours de jeudi.

Ensuite, je l'ai aidée à choisir une tenue pour le défilé de mode.

Après, Lucie a peint le portrait de son lézard apprivoisé, Lou, pour l'exposition d'art. Son tableau est très **CHOUETTE!**

Pour m'amuser, j'ai peint le portrait de Charlie en costume de lapin.

Juste avant d'aller me coucher, j'ai aidé Lucie à inventer une chorégraphie pour le concours de talents.

Charlie a beaucoup aimé nos enchaînements!

Mais pas Hervé.

Ha! ha! Vous deux, vous ressemblez à des flamants roses qui dansent le cha-cha!

Quelle cervelle d'écureuil!

Je n'ai pas fini de peindre les décors, mais il me reste toute la journée de demain. Alors, ne t'inquiète pas, cher journal. De toute façon, cette fête sera ÉBLOU-OU-ISSANTE!

♥ Le temps passe vite! ♥

Dimanche

Salut, journal!

Je me suis réveillée de très bonne heure!

Je n'ai pas encore fini le décor pour le concours de talents, mais je veux commencer à construire la passerelle aujourd'hui (pour montrer à Mimi que je suis capable de le faire toute seule!)

Je dois aussi fabriquer les prix pour les concours. Ils vont être <u>SI</u> beaux!

Oh non! Maman m'appelle. Je reviens tout de suite.

Je suis de retour!

Hervé et moi avons passé la nuit avec grand-maman Hingrid et grand-papa Hisidore.

Grand-
maman

Grand-
papa

C'était super de les voir, mais le jour va bientôt se lever et je n'ai rien préparé aujourd'hui! ZUT! Et maintenant le téléphone sonne!

Lucie m'a appelée pour voir où j'en
étais.

Je n'ai pas beaucoup
avancé, Lucie. J'ai été
tellement occupée!

Nom d'un battement
d'ailes, Ève! La fête
est dans quatre jours
seulement! Tu es
sûre que tu n'as pas
besoin d'aide?

Merci, Lucie,
mais je pense
que ça
va aller.

La fin de semaine est passée si vite!
Désolée, journal, je n'ai pas le temps
d'en écrire plus. Je dois fabriquer des
prix avant de me coucher. À plus tard!

7

Lundi

Arrrrrrrgh!

La fête du printemps est DANS TROIS JOURS!

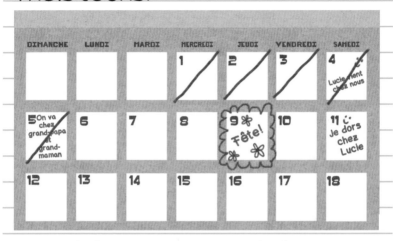

J'ai été tellement occupée à aider Lucie et à créer les meilleurs prix AU MONDE que rien n'est prêt! (Sauf les prix. J'ai hâte que tout le monde voie comme ils sont beaux!)

Journal, tu sais que je voulais organiser cette fête toute seule. Mais j'ai besoin d'aide, de BEAUCOUP d'aide.

Je vais parler à Lucie après l'école. À tout à l'heure!

Lucie m'a BIEN aidée. Enfin oui et non.

Nous avons peint la moitié du décor pour le concours de talents. Mais nos ailes se sont vite fatiguées.

Nous avons essayé d'accrocher les tableaux de l'exposition d'art. Mais nous n'étions pas assez grandes!

Nous avions prévu une table en forme de fleur pour le concours de pâtisserie. Mais nous n'avons pas encore commencé à la construire.

Nous avons même commencé à assembler la passerelle pour le défilé de mode. Mais c'est un très gros projet!

Alors il reste <u>BEAUCOUP</u> à faire :

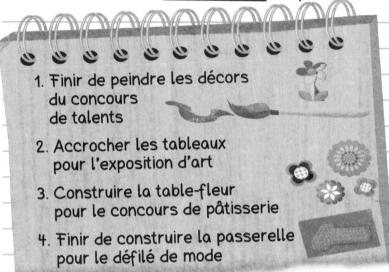

1. Finir de peindre les décors du concours de talents

2. Accrocher les tableaux pour l'exposition d'art

3. Construire la table-fleur pour le concours de pâtisserie

4. Finir de construire la passerelle pour le défilé de mode

Lucie, je n'ai pas assez d'ailes pour tout faire.

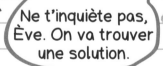

Ne t'inquiète pas, Ève. On va trouver une solution.

Oh, cher journal, allons-nous devoir annuler la fête?

♥ Des amis à la rescousse! ♥

Mardi

Quand je me suis réveillée, j'ai pensé à la déception de tout le monde si nous annulions la fête.

Puis j'ai pensé à ce que Mlle Plumier m'a dit quand je lui ai parlé de mon idée.

Distribue les tâches!

Cher journal, je sais ce que je dois faire! C'était ridicule d'essayer de TOUT faire seule. IMPOSSIBLE! Il y a beaucoup de hiboux talentueux dans ma classe. Je vais leur demander de m'aider! Souhaite-moi bonne chance. Je te raconterai tout après l'école.

J'ai demandé de l'aide aux élèves de ma classe. À ma grande surprise, ils étaient tous <u>ravis</u>! J'ai distribué les tâches selon les talents de chacun. Nous nous sommes bien amusés!

Georges, Carlos et Zara sont les meilleurs artistes de la classe. Alors, je leur ai demandé de peindre les décors pour le concours de talents.

Zacharie et Marise sont les plus grands élèves. Alors je leur ai demandé d'accrocher les tableaux de l'exposition d'art.

Lili et Jacob sont très bricoleurs. Alors je leur ai demandé de construire la table pour le concours de pâtisserie. Ils ont adoré la forme de fleur que Lucie et moi avons créée!

J'ai encore besoin d'aide pour le défilé de mode. Mais Mimi n'était pas à l'école aujourd'hui (elle avait un rendez-vous chez L'HIBOUDONTISTE!). Il faudra que je lui demande de m'aider demain. Mais ça me rend TRÈS nerveuse.

Lucie, j'ai peur de demander de l'aide à Mimi. Et si elle se moquait de moi? Et si elle disait quelque chose de méchant? Et si elle refusait?

Impossible de le savoir. Contente-toi d'être l'adorable hibou chic et élégant que tu es et attends de voir.

Mais demain, c'est la veille de la fête. Si Mimi refuse de m'aider à mettre en place la passerelle, il faudra annuler le défilé de mode!

♡ Une journée étrange ♡

Mercredi

J'ai parlé à MIMI! Voici ce qui est arrivé :

Euh, Mimi?

Ouais?

Je me demandais si tu pouvais m'aider...

À construire la passerelle?

Oui. Tu serais d'accord?

Bien sûr! J'espérais que tu me poserais la question!

Je n'en croyais pas mes oreilles. Mimi avait dit oui et elle me souriait… Enfin, presque!

Puis elle m'a aidée à construire la passerelle après l'école.

Ensuite, Lucie est venue chez moi.
On a préparé ensemble ses petits
gâteaux pour le concours de pâtisserie.
On les a même décorés avec une
belle fleur!

Après, on a fait une bataille de farine. C'était vraiment amusant!

Cette journée était étrange. Mais étrangement bonne! Cher journal, je ne peux pas croire que le GRAND jour, c'est DEMAIN! Aïe! Aïe! Aïe!

♡ La fête du printemps ♡

Jeudi

Salut, journal!
 La fête d'aujourd'hui
a connu un immense
succès. Tout le monde
s'est beaucoup amusé...

Festival des fleurs

Sauf moi. J'ai passé la journée à courir
dans tous les sens pour m'assurer du
bon déroulement de la fête. Mais rien
ne s'est passé comme prévu!

Tout d'abord, les petits gâteaux de Lucie ne ressemblaient pas à de jolies fleurs. Nous les avions glacés quand ils étaient encore chauds et le glaçage a fondu. Ils ressemblaient à des CROTTES DE NEZ gluantes!

Ensuite, j'ai vu que le tableau de Charlie que j'avais fait pour rire faisait partie de l'exposition d'art, mais pas celui de Lucie. Elle avait dû donner mon tableau par accident. Oh, Lucie! Personne n'était censé voir ce tableau! Charlie ressemblait à un <u>EXTRATERRESTRE DÉCHAÎNÉ!</u>

Ensuite, pendant le concours de talents, j'ai trébuché et j'ai atterri sur les genoux de Mlle Plumier!

Oh... j'espère que le spectacle vous plaît!

Le défilé de mode était le
dernier événement. Et quand
je suis montée sur la passerelle,
le bas de ma robe était pris
dans mes <u>bobettes</u>!

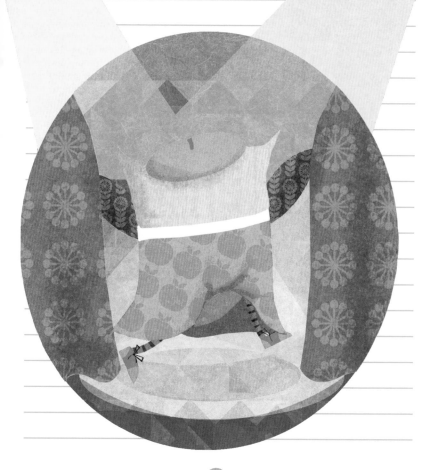

ARGH! La fête entière a été un **NID** de problèmes! Je suis sûre que tout le monde pense que j'ai une cervelle d'écureuil.

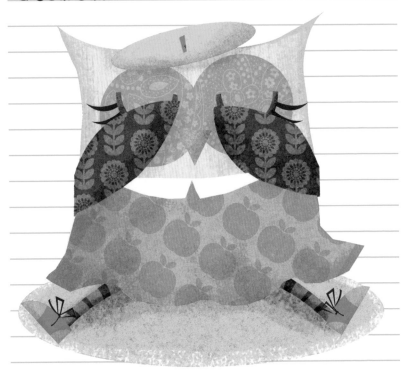

Une fois que Mlle Plumier aura distribué les prix aux gagnants demain, j'espère ne plus jamais entendre parler de cette fête du printemps!

11

Vendredi

Je suis allée à l'école de bonne heure pour déposer les prix.

Puis j'ai essayé de me cacher pour que personne ne me voie.

Mlle Plumier a commencé à **HULULER** :

Le premier « Festival des fleurs » a été formidable! Maintenant, je vais annoncer les gagnants...

Meilleur artiste

Gagnant du concours de talents

Meilleurs petits gâteaux

Meilleure tenue

Tout le monde a aimé les prix que j'avais fabriqués (J'étais désolée que Lucie ne gagne rien. Je n'aurais jamais dû l'aider à faire ses petits gâteaux!)

Puis, Mlle Plumier m'a demandé de venir à l'avant. Je pensais qu'elle allait me **DISPUTER** pour avoir montré mes bobettes sur la passerelle. Mais...

elle m'a décerné un prix spécial!

Ève, merci d'avoir travaillé si fort et merci pour ce beau travail d'équipe. Nous n'aurions pas pu faire cette fête magnifique sans toi.

J'étais si contente! Mais je savais que je ne pouvais pas accepter ce trophée.

Festival le mieux organisé

Je suis désolée, mais je ne peux pas accepter ce trophée.

Est-ce que tous mes camarades de classe pourraient venir ici?

69

Mes camarades sont arrivés à tire-d'aile. Lucie se tenait à mes côtés.

Nous avons tous tenu le trophée à tour de rôle. Mlle Plumier souriait. Tout le monde **HULULAIT** et applaudissait! Même Mimi!

Cher journal, je n'ai jamais été aussi heureuse!

Maintenant, je dois penser à mon prochain projet.

Rebecca Elliott ressemblait beaucoup à Ève
quand elle était petite : elle adorait fabriquer des choses
et passer du temps avec ses meilleures amies.
Aujourd'hui, cela n'a pas beaucoup changé, mais ses
meilleurs amis sont devenus son mari Matthew et ses
enfants, Clementine, Toby et Benjamin. Elle aime toujours
créer des choses comme des histoires, des gâteaux, de la
musique et des dessins. Mais elle ne parvient toujours pas
à faire pivoter complètement sa tête comme Ève, malgré
ses multiples tentatives.

Rebecca a écrit les albums *Émilie le mille-pattes* et *Mais
qui a mangé la salade? Hibou hebdo* est sa première série
de romans à chapitres pour jeunes lecteurs.

HIBOU HEBDO

Questions et activités au sujet du livre *La fête d'école*

Quelles caractéristiques intéressantes ont les hiboux?

Ève a inventé le mot <u>ma-nid-fique</u>. Ce mot est un mélange de deux vrais mots : <u>magnifique</u> et <u>nid</u>. Peux-tu inventer d'autres mots en suivant ce modèle?

Ève pense-t-elle que la fête est réussie? Pourquoi?

Que pense Ève de moi au début et à la fin de l'histoire? Qu'a-t-elle appris au sujet du travail d'équipe?

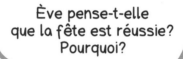

Aimerais-tu participer à un défilé de mode, à un concours de talents, à une exposition d'art ou à un concours de pâtisserie? À l'aide d'images et de mots, explique ce que tu ferais.